KB178041

포기하지 말고
도망가지 말고
나답게 살자!

박순애

포도나

발　행 | 2024년 07월 16일
저　자 | 박순애
펴낸이 | 한건희
펴낸곳 | 주식회사 부크크
출판사등록 | 2014.07.15.(제2014-16호)
주　소 | 서울특별시 금천구 가산디지털1로 119 SK트윈타워 A동 305호
전　화 | 1670-8316
이메일 | info@bookk.co.kr

ISBN | 979-11-410-9216-0

www.bookk.co.kr

포기하지 말고
도망가지 말고
나답게 살자

박순애

CONTENT

제2부   건강 독서

들어가며

안녕하세요.

저는 소소한 일상에서 작은 행복을 누리며 사는 사람입니다. 이 책은 저의 일상의 작은 행복을 담았습니다. 우리에게 행복은 항상 함께하는 것 같습니다. 내 생각에서 비롯되기 때문입니다. 그저 바라만 봐도 좋은 사람이 있습니다. 항상 함께하고 싶은 사람이 있습니다. 옆에 있는 것만으로 의지가 되고 기쁨이 되고 감사가 되는 사람이 있습니다. 저도 의지가 되고 기쁨이 되고 항상 함께하고 싶은 사람이 되고 싶습니다.

건강독서를 하기 전까지 저는 건강에 관심을 갖지 않고 무작정 살아왔습니다. 그러한 내가 건강독서를 하면서 건강에 많은 관심을 두게 되었고 예전보다 더욱 건강해졌습니다. 그리고 주위에 눈을 돌려 다른 사람의 건강을 관리해 주는 사람이 되었습니다.

　이 책이 여러분의 일상에서 작은 일에 기쁨을 발견하는 선물이 되길 바라며 건강한 삶을 살아가는 데 조금이나마 도움이 되길 바랍니다.
감사합니다.

1부

일상의 행복

1. 낭독 시절

"목소리가 좋네요"

"생각보다 훨씬 잘했어요"

작년에 영상을 만들면서 내레이션하게 되었는데 나의 멘토이셨던 박종익 단장께서 하신 말씀이다. 칭찬을 들으니 기쁘고 기분이 좋았다.

자신의 목소리를 좋아하는 사람이 얼마나 될까? 나

도 내 목소리를 좋아하지 않았다. 그런데 목소리가 좋다는 말을 들으니 더 잘하고 싶다는 생각이 들었고 오픈 카톡방에 올라오는 낭독에 관심을 두게 되었다. 좀 더 배우고 익히면 더 좋은 목소리로 내레이션을 할 수 있지 않을까 생각했다. 그리고 김형숙의 낭독시대를 알게 되었을 때 솔깃해졌다. 도전해 보고 싶었다. 그래서 낭독독서지도사 과정을 참여하게 되었다.

복식호흡, 발음과 발성을 하면서 나에게 조금씩 변화가 생기기 시작했다. 눈으로만 읽던 것과는 차이가 있었다. 말끝을 흐리던 습관도 점점 없어져가고 소리를 내어서 읽게 되므로 말에 자신감이 생겼다.

낭독독서지도사과정에서 [김형숙의 낭독시대]책을 낭독하면서 녹음하여 카페에 올리는 과제가 있는데 그 과제를 수행하면서 책을 읽는 것에 대한 재미도 생겼다. 낭독독서지도사 과정을 함께하는 분들에게 새벽 4시 55분에 하는 새사모와 일요일 오전 6시에 하는 일요독서모임에 한 달간 참여할 기회를 주셨다.

새사모와 일요독서모임에 참여하면서 낭독하는 재미에 폭 빠졌다. 30분을 읽고 녹음하는 것이 하루의 기뽐이 되기도 하였다. 30분을 낭독하며 녹음하면 카페에는 올릴 수 없지만 카톡이나 텔레그램에는 올릴 수가 있다. 그래서 아무도 관심 없겠지만 나는 기쁜 마음으로 낭독하고 있다. 새벽에 하는 새사모에서는 루이스 헤이의 [나를 치유하는 생각]으로 한 페이지씩 낭독하고 필사해서 텔레그램에 올리고 있는데 성우들이 올린 낭독을 들으며 필사하는 시간은 친근함과 편안함을 주고 아침을 신나게 시작하게 된다. 각자의 개성이 있는 낭독으로 아름답기까지 하다.

낭독에 관한 글을 쓰니 어릴 적 초등학교 다닐 때 선생님께서 책을 읽으라고 하시면 가슴이 쿵쾅쿵쾅 뛰었던 것이 지금도 생생하다. 선생님께서는 자주 나에게 책을 읽으라고 하셨다.

자리에 앉아서 읽으면 좋았을 텐데 선생님께서는 자리에 서서 읽으라고 하셨다. 그때마다 두려웠다. 틀리지 않게 읽으려고 얼마나 신경을 쓰고 읽었던지 아직도 그때가 생생하게 그려진다. 요즈음 아이들은 책을 소리 내 읽고 있을까? 아이들과 낭독하고 싶다. 아이들에게 말끝을 흐리지 않고 당당하게 말할 수 있도록 자신감도 길러주고 읽고, 듣고, 쓰고, 말하면서 자신을 찾아갈 수 있도록 함께 하고 싶다.

나에게 기쁨을 주는 낭독, 꾸준히 할 것이다. 낭독하면서 나에게 꿈이 생겼다. 말에 자신감이 없는 사람들에게 낭독의 중요성을 전하고 자신감을 전달하는 낭독 전도사가 될 것이다. 우리에게 낭독의 시절이 찾아왔다.

낭독 파이팅!

2. 나, 너, 우리를
기쁘게 하는 칭찬

칭찬 한마디를 듣고 인생이 바뀐 사람들이 있다. 그만큼 칭찬은 우리 삶의 활력소가 되고 변화의 계기가 되는 것이다.

내가 박종익 단장의 칭찬 한마디에, 낭독에 꿈을 꾸게 된 것처럼 다른 사람도 누군가의 칭찬 한마디에 삶이 변화되는 일이 생기지 않을까?

칭찬받을 때는 아주 기분이 좋고 하늘을 날아가는 것 같은데 나는 칭찬에 인색한 편이다. 아니 인색하다기보다는 칭찬을 말로 표현하는 것이 내 생활의 일부가 되어 있지 않는 것이다.

마음으로는 대단하다 어쩜 저렇게 할 수 있을까 생각하면서도 정작 입 밖으로 표현하지 못해서 관계가 좋아지지 않는 경우도 있었다. 나는 관계에 있어서 항상 수동적이었던 것 같다.

칭찬의 좋은 점은 알고 있으면서도 나에게 칭찬은 익숙하지 않았다. 우리는 가끔 일상에서 칭찬을 들을 때가 있다. 그리고 나도 가끔은 칭찬한다. 그러나 일상화되지는 않았다.

잘한다, 잘한다. 칭찬하면 더 잘하던 아들이 생각난다. 지금은 내 곁에 없지만 조금이라도 칭찬하면 좋아하던 아들의 사랑스러운 미소가 떠오른다. 칭찬할 것을 찾아서 칭찬하는 적극적인 행동은 서로를 기쁘게 하고 뿌듯하게 하는 마력이 있다.

앞 사람 칭찬하기, 옆 사람 칭찬하기 등 여러 곳에서

칭찬하기는 있었다. 그런데 칭찬은 그때 그 장소에서뿐이고 그 장소를 벗어나면 칭찬을 하는 것은 거의 없었던 것 같다.

　낭독독서지도사 과정에서 짝꿍을 칭찬하는 과제가 있었다. 나의 짝꿍이신 이ㅇㅇ성우님은 대단하신 분이다. 낭독독서지도자 과정의 많은 미션들을 모두 완수하는 성실하고 진실한 분이시다. 짝꿍의 칭찬을 들으며 나도 칭찬하게 되었는데 나는 아직 어색하고 서툴다. 만나는 사람 칭찬하기를 생활화해야겠다. 그러면 내 생각도 긍정적으로 변하고 관계도 좋아지는 일석이조의 효과를 볼 수 있을 것이다.

　우리 삶에서 중요한 역할을 하는 칭찬, 우리에게 기쁨을 주고 잘하고자 하는 동기부여도 준다. 또한 다른 사람들과의 관계를 개선한다. 칭찬하면 좋은 감정이 생기고 감사하게 된다. 그래서 다른 사람들과의 관계를 더욱 돈독히 한다.

　우리가 칭찬함으로써 더 잘할 수 있게 되고 긍정적이고 적극적으로 살아갈 수 있도록 돕는 역할을 하게 된다. 서로가 기쁨을 주게 되는 것이다. 나, 너, 우리를

기쁘게 하는 칭찬, 서로가 칭찬하는 문화를 만들어 감
면 좋겠다.

칭찬 파이팅!

3. 나에게 추억을 선물한 카드뉴스

낭독독서지도사 양성과정을 하면서 쓰게 된 카드뉴스는 처음에는 부담으로 다가왔다. 무엇인가를 새로 한다는 것은 많은 생각을 하게 되고 머뭇거리게 된다.

김형숙 대표가 알려준 대로 글그램에 내가 찍은 사진을 이용해서 책을 읽고 좋은 글을 쓰고 작성한 카드뉴스는 나에게 작게나마 성취감을 주었다. 그래서 책을 낭독하고 카드뉴스를 만들어서 카페에 올리는 것은 성취감과 함께 기쁨도 주었다. 다양한 사진에 다양한 글씨체로 만든 카드뉴스, 낭독독서지도사 양성과정을 함께 한 선생님들의 카드뉴스를 보면서 내가 보지 못한 정보를 알게 되고 함께 할 수 있음에 감사드린다.

요즈음은 무료로 사용할 수 있는 앱이 여러 가지가 있다. 다양하게 만들 수 있는 카드뉴스. 카드뉴스 만드는 것을 배워서 알고는 있었지만 이렇게 직접 만들어 공유하는 것은 처음이었다. 배우는 것과 실행하는 것의 차이, 배우기만 할 때는 자신감이 없지만 실행하고 나면 자신감이 생긴다. 그래서 더욱 열심히 하게 된다. 어린아이처럼..

카드 뉴스를 생각하니 옛날 여고시절이 스쳐 지나간다. 그때 그 시절, 예쁜 카드를 모아 두고 감상하는 것이 기쁨이 되었던 때가 있었다. 내가 좋아하는 영화배우 모습도 구입해서 감상하기도 했었다. 특별히 좋아하는 배우는 없었지만, 그들의 아름다운 모습과 멋있는 모습은 우리에게 설렘을 주었고 선망의 대상이 되기도 하였다. 반짝반짝 빛나면서 입체감을 주었던 자연풍경의 카드도 생각난다.

그 때는 소중하게 보관하고 아꼈었는데 모두 어디로

가버렸을까? 예쁜 카드에 좋은 글을 써서 친구에게 주기도 하였는데 필체가 좋지 않았던 나는 카드에 글 쓰는 것을 좋아하지 않았다. 예쁜 카드를 나의 글씨로 망치고 싶지 않았었다. 글씨를 예쁘게 쓰는 친구들을 보면 부러웠다.

이제는 아주 좋은 세상이 되었다. 내가 예쁘게 글을 쓰지 않아도 여러 가지 글씨체로 대신해서 글을 써준다. 카드에 나의 악필이 들어가지 않아도 다양한 글씨체로 예쁜 카드를 만들 수 있다.

나만의 멋진 카드뉴스.

지금까지는 책에 나와 있는 좋은 글로 카드뉴스를 만들었는데 지금까지와는 다른 카드 뉴스도 만들어야겠다. 카드뉴스로 나를 표현하고 다른 사람들에게 정보도 제공할 수 있는 변화된 카드뉴스를 만들고 싶다. 배우고 깨달았으면 실행해야 한다. 실행이 답이다. 점점 변화하는 나에게 칭찬을 보내고 사랑을 보낸다.

카드 뉴스 최고!

4. 장성 백양사 나들이

2024년 3월 23일 토요일 12시 광주국립박물관앞에서 모였다. 3월 5일부터 시작된 전남대 평생교육원 [사진촬영의 스마트한 변화] 강좌에서 함께 출사를 위해 모인 것이다.

평생 처음 가는 출사의 날!

지인의 소개로 스마트폰만 있어도 수업을 들을 수 있다고 해서 듣게 되었는데 10명의 수강생 중에 나를 제외한 모든 분들이 좋은 카메라를 소지하고 계셨다.

사진작가협회에 등록되신 분들도 계셨다. 나는 광주시 청자미디어 센터에서 카메라와 삼각대를 대여해서 동참하였다.

광주시청자미디어센터 영상 제작단에 몸을 담고 있어 좋은 사진 찍는 법을 배우고 싶었는데 나의 생각과는 달리 이곳에서는 또 다른 세계가 있었다.

현장인 장성 백양사에 도착해서 350년이 되었다는 고불매를 촬영했다. 도착하자마자 사진을 촬영하는 수강생들은 사진작가의 멋있는 모습이다.

나는 대여한 캠코더를 꺼내 촬영 준비를 했다. 그런데 2022년도에 한번 사용해 보고 오랜만에 사용하려고 하니 대여할 때 알려주셨던 간단한 사용법이 생각이 나질 않았다. 이태연 교수께 말씀드렸더니 20분 동안 시간을 줄 테니 잘 살펴보라고 하신다.

드디어 이태연 교수의 현장실습교육이 시작되었다.
사진을 잘 찍으려면 어떻게 해야 하는가?
사진을 찍지 마라

촬영을 계획했던 시간의 10%는 사진을 찍지 말고 어디를 찍을 것인지 어떻게 찍을 것인지 사진을 찍지 말고 둘러보아야 한다고 말씀하셨다.

곰곰이 둘러보면서 원하는 사진을 구사하라는 것이다. 남들이 하는 대로 하지 말고 나만의 사진을 구상해야 한다. 특히 꽃을 찍으려면 꽃이 드러나고 돋보여야 한다고 하셨다.

이태연교수의 말씀대로 살펴보니 처음 사진을 찍었던 곳이 가장 좋지 않은 방향이었다. 다른 곳에서 열심히 촬영하고 계시는 분들을 보니 웃음이 나왔다.

나는 왕초보, 그들은 전문가.
사진을 찍기 위해 의상도 준비하고 모델까지 동행한 사진작가를 보니 이 또한 감동이었다.

연분홍빛 꽃을 피우는 홍매의 향이 백양사를 가득 채우고 있다. 고불매의 진한 향기와 예쁜 꽃이 사람들에게 행복을 주고 웃음꽃을 피우게 한다.

또 다른 세계를 보게 된 처음 출사지 장성 백양사

고불매, 활짝 피어 많은 벌들을 깃들이게 하고 사람들을 행복하게 하는 고불매를 보며 고불매처럼 사람들에게 안식을 주는 행복을 전하는 사람이고 싶다.

5. 고창 청보리밭에서

2024년 3월 30일 토요일 2시, 두 번째 출사하는 날이다. 광주국립박물관에서 2시에 모여 고창 학원농장 청보리밭으로 출발하였다.

햇볕이 나던 날씨가 흐려졌다. 이렇게 날씨가 맑지 않을 때는 장소를 변경하기도 한다고 하는데 예정지인 청보리밭으로 바로 가겠다는 수강생이 있어 고창 학원 농장으로 갔다.

학원농장의 청보리밭은 바람도 세게 불고 추웠다. 청보리밭에 도착하자마자 현장실습 교육이 시작되었다.

이태연 교수는 사진은 낚시와 같다고 한다. 다른 사람이 사진을 찍으려고 자리 잡고 있으면 그곳을 피해야 하고 좋은 사진을 찍으려면 살피고 기다려야 한다는 것이다.

오늘은 사진에도 히스토그램이 있어서 정확한 노출 설정과 선명한 사진 촬영을 할 수 있다는 것을 배웠다.

광주시청자미디어센터에서 대여한 캠코더와 삼각대를 챙겨서 출사하게 되었는데 이태연 교수께서 자신의 카메라를 사용해서 사진을 찍어보겠느냐고 말씀하셨다. 배려해 주시는 이태연 교수께 감사드린다.

처음으로 사용해 보는 카메라, 캐논eosR−35mm 자동으로 설정하고 사진을 찍었다. 화면이 작으니 좋은 사진을 찍고 싶었으나 잘 보이지 않았다.

3월의 고창 청보리밭은 날씨가 쌀쌀하다 못해 춥기까지 했다. 땅은 비가 온 뒤라 질척거렸고 신발은 흙이

묻어 떡이 되었다. 그래도 자연은 우리에게 행복을 안 겨다 준다. 자연에서 누릴 수 있는 즐거움이 있다. 내 가 좋아하는 녹초, 초록빛이 마음을 평화롭고 즐겁게 했다.

자신만의 좋은 사진을 위해 기다리고 기다리는 사람 들을 보며 추운 날씨에도 아랑곳하지 않고 좋은 장면 이 나오기를 기다리는 모습에서 인내하며 낚시하는 사 람들의 모습을 떠올려 보았다. 각자의 위치에서 사진을 찍으며 좋은 작품 사진을 만들어 가는 사람들을 생각 하니 그들에게 감동이 느껴졌다.

저녁에 이태연 교수께서 보내주신 사진을 보니 선 명하게 잘 보였다. 왕초보인 나에게 생각보다는 잘 찍 었다며 위로해 주셨다.

사진 촬영이 점점 흥미로워졌다.

6. 소망

나의 소망은 나도 가족도 이웃도 모두 건강하게 사는 삶이다. 몸과 마음이 건강한 사람이 되는 것이다.

주위를 둘러보면 아픈 사람이 많다. 몸이 아픈 사람, 마음이 아픈 사람, 몸과 마음이 모두 아픈 사람... 아픈 사람이 참 많다.

나도 몸과 마음이 완전한 사람은 아니다. 그렇기에 건강한 생활을 위해 함께 하고 싶은 것이다. 건강독서를 하면서 함께 운동하고 식생활 개선을 하고 서로서로 도우며 살기를 희망한다.

몇 년 전까지만 해도 경제적인 것에 관심이 별로 없었다. 그런데 언제부터인가 경제적인 것에 관심을 두게되었다. 갑자기 노후에 대한 걱정이 생겼기 때문이다. 그러나 특별한 능력도 없고 꾸준히 해오던 일도 없는터라 경제적인 것은 해결할 방도가 없었다.

세 자녀를 제왕절개로 출산하였기에 기력은 바닥이났고 자녀들이 어릴 때부터 교회학교에서 아이들과 노는 것이 나의 일이었다. 기력이 없어 한 시간 쇼핑하는것도 힘들었던 나는 육체적인 일과 지속적인 일은 하지 못하였고 아동권리, 성교육, 놀이수업 등이 나의 일이었다.

어느 날 낭독에 관심을 두게 되었고 낭독하면서 건강독서를 만났다. 그때부터 나의 삶은 조금씩 변화가시작되었다. 건강독서연구소 소장이신 백용학 소장의강의를 들으면서 건강에 관해 더 관심을 두게 되었고건강에 대해 알게 되는 기쁨이 있었다.

건강독서연구소 백용학소장은 어릴 때부터 몸이 허약하여 병원에서 포기했다고 한다. 병원을 나와서 몇천 권의 책을 읽으면서 건강에 대해 연구 하였고 지금은 아주 건강한 생활을 하고 있단다. 건강독서연구소에서 한 달에 하루 건강콘서트를 하고 있으며 건강을 위해 노력하고 있다.

건강독서연구소에서는 여러 가지 건강기능식품을 섭취하면서 효능을 알아가고 있는데 이곳에서 경성제약의 장박사를 최고의 제품이라고 추천을 해주었다. 장박사를 섭취해 보니 정말 좋아서 건강을 챙기시는 분이나 변비나 설사를 하시는 분들에게 전달하고 있다.

남편이 정육점을 하고 있는데 고기를 많이 먹으면 좋지 않다는 말들을 하지만 단백질은 우리가 섭취해야 하는 필수영양소이다. 그래서 "장이 건강하면 고기도 보약"이라는 슬로건을 가지고 장을 건강하게 하는 경성제약 장박사를 추천한다.

경성제약 장박사를 꾸준히 먹으면 장박사의 점성력, 팽창력, 흡착력으로 장에 있는 숙변을 제거하고 장의 독소를 제거할 수 있다. 장의 독소가 쌓이신 분 , 변비나 설사로 인해 고통받으신 분 의약성분이 아닌 천연 성분으로 만들어진 11가지 곡물과 44가지 허브,약초를 이용해 환으로 된 장박사를 추천한다..

먼저 건강독서를 하면서 경성제약 장박사를 먹는다면 어떻게 건강을 챙길 것인지 알게 되고 만성변비와 설사가 해결될 것이다. 장에 있는 독소가 제거 되면 우리의 몸은 건강해진다고 한다. 장건강을 지키면 건강해진 자신을 발견하게 될 것이다.

나는 장박사를 먹으면서 식생활 개선을 하고 운동을 하면서 체중도 많이 줄고 건강해졌다. 나는 체력이 아주 약하고 기력이 없었는데 이제는 건강도 좋아졌고 기력도 많이 회복되었다. 체중도 줄어드니 이 가볍고 주위에서는 더 젊어진 것 같다고 한다. 어떻게 나이를 먹으면서 더 건강해지느냐며 비법을 알려 달라고 한다.

건강독서로 건강 지식을 알고 식생활을 개선하고 생활 습관을 바꿔서 몸과 마음이 건강하기를 바란다.

2부

건강독서

7. 하루 10분
행복한 건강 독서

건강독서 모임, 건강과 관련된 도서를 읽고 나누는 모임이다, 십시일강의 김형숙 대표가 건강독서 모임에 들어오라고 할 때는 건강에 관련된 책을 읽으면서 좋은 정보를 얻을 수 있겠다는 막연한 생각에 참여하게 되었다.

낭독독서 모임을 하고 있었던 터라 건강독서를 읽으면서 낭독하며 녹음하여 단톡에 올렸다. 사람들은 자신의 목소리를 좋아하지 않는 것 같다. 나도 목소리가 마음에 들지 않았다. 그래서 단톡에 올리는 것을 좋아하지 않았다. 그런데 목소리가 좋다고 칭찬을 들으니, 낭독하여 단톡에 올리는 것이 싫지 않았다.

매주 월요일과 목요일 아침 6시부터 7시까지 하는 건강독서모임, 요즘에는 7시를 훌쩍 넘기고 있다. 책의 내용을 나누고, 느낀 것, 체험한 것을 나누며 서로를 통해 건강에 대한 정보를 얻고 체험을 들으면서 건강해지는 사람들의 이야기 속에서 나를 돌아보는 시간이다.

처음에는 10분을 낭독해서 단톡에 올리는 것이 쉽지 않았다. 습관이 되어 있지 않았기 때문에 바쁜 하루를 지내다 보면 하루가 지나간 적도 있었다. 그래서 시간을 밤 11시로 정했다. 처음에는 10분 낭독하는 것이 힘들었다 그러나 낭독을 하다 보니 점점 책이 즐거워지고 재미가 있었다. 궁금한 곳을 읽다 보면 시간이 훌쩍 지나 있었다. 책을 읽는 재미가 솔솔 했다. 새로운 정보를 알아가는 것 또한 즐거웠다. 하루를 보내고 지칠 때는 책을 읽지 못할 때도 있었다. 그때는 다른 사람이 낭독해서 올린 것을 들었다.

건강독서를 하다 보면 생각나는 사람들이 많이 있다. 그들에게 건강정보를 알려 주고 싶은 마음이 일어난다. 건강독서를 하면서 마음에 감동이 오는 것을 전해 주고 싶었다. 그런데 사람들은 정보에 반신반의하였다. 특히나 아픈 사람들은 전문가인 의사의 말을 더 신뢰하고 우리들이 건강독서를 통해 얻은 지식은 무시하는 경우도 있었다. 건강독서를 집필하신 분들 또한 의사들이고 전문가들인데 너무 아쉬웠다. 더 많은 사람이 건강독서를 읽고 건강해지기를 바라는 마음 간절하다. 직접 책을 읽다 보면 나처럼 생각이 변하게 될 것이라고 믿는다.

8. 삶이 바뀌기 시작하다

건강독서 모임을 시작한 지 어느덧 1년이 되었다. 처음에는 단순히 건강에 대한 정보를 얻기 위해 시작한 건강독서 모임이 지금은 내 삶을 완전히 바꿔 놓았다. 건강독서를 시작하기 전에는 건강에 대한 관심이 별로 없었다. 그런데 건강독서 모임을 하면서 건강에 대해 많은 관심을 두게 되었고 1년 동안 많은 유익이 있었다. 선정된 책을 읽으면서 건강에 대한 지식이 쌓이고 자신감과 함께 건강한 삶을 살 수 있다는 믿음이 생겼다.

건강독서를 하면서 가장 크게 바뀐 것은 식습관이다. 완전하지는 않지만, 좋은 식습관을 알게 되고 되도록 올바른 식습관을 지키려고 노력하고 있다. 그 결과 체중이 7kg이 줄어들었다 차갑던 손과 발도 따뜻해졌다. 항상 차갑던 배도 따뜻해졌다. 무좀이 있어 거칠었던 발도 부드러워졌다. 운동 습관도 바뀌었다. 이전에는 운동을 거의 하지 않았지만, 건강독서를 하면서 운동의 중요성을 알게 되었고, 매일 조금씩이라도 운동을 하고 있다. 그 결과 체력이 좋아지고, 건강이 더욱 좋아졌다.

언제부터인지는 모르지만 동네 뒷산을 오르는 것이 힘들었다. 아니 걷는 것도 힘들었다. 그런데 건강독서모임을 하면서 건강을 챙기다 보니 드디어 2023년 11월 10일에 한라산 정상인 백록담을 다녀왔다. 사람들이 백록담을 보고 왔다는 이야기를 들으면 나도 가보고 싶었는데 드디어 백록담을 보게 되었다. 아직도 그때가 눈에 선하게 떠오른다. 나의 줌 프로필을 백록담 사진으로 변경하고 줌을 할 때마다 그때의 감동을 느끼고 있다.

건강 독서를 시작하면서 내 인생에 많은 전환점을 주었기에 내가 경험한 건강하고 행복한 삶을 살도록 다른 사람에게도 건강의 중요성을 전하고 싶다. 내가 만나는 많은 사람들이 건강을 되찾고 행복했으면 좋겠다. 내가 건강독서를 하면서 갖게 된 가장 큰 수확은 자신감이다. 나이를 한 살 한 살 더할수록 건강이나 생활에 자신이 없었다.그런데 몸이 건강해지고, 마음도 건강하게 되니 다른 일도 할 수 있다는 자신감이 생겼다.

9. 몸건강 마음건강을 지키는 건강독서

건강독서는 우리 몸 건강에 많은 영향을 준다. 건강한 식습관을 갖게 된다. 먹어야 할 음식, 먹지 않아야 할 음식을 알게 되고 되도록 그것을 지키려고 하다 보면 식습관이 변화하게 된다. 나는 밀가루 음식을 좋아하지 않았다. 그리고 음식을 먹을 때는 밥은 적게 먹고 반찬은 많이 먹는 편이었다. 고기를 먹으면 밥은 먹지 않았고 밥을 먼저 먹게 되면 고기는 아예 먹지 않았다. 건강 공부를 하면서 그것이 좋은 식습관이란 것 알게 되었다. 그런데 성인이 된 나는 언제부터인가 식후에 과일을 먹을 때가 많아졌다. 그것은 좋지 않은 식습관이었다.

시골에서 자란 나는 어릴 적부터 과일을 많이 먹고 자랐다. 시골집을 주위로 텃밭이 있고 3,000평의 산이 있었다. 3,000평의 산에는 밤나무가 심겨 있었고 집 주위에는 꽃과 과일나무로 가득했다. 그래서 아침에 일어나자마자 과일을 따 먹었다. 보리수, 자두, 딸기, 무화과, 참외, 수박, 포도, 개복숭아, 배, 감, 홍시, 밤 등 봄부터 가을까지 부모님이 가꾸어 놓으신 열매 맺는 과일을 마음껏 먹을 수 있었다. 겨울에는 땅에 묻어두었던 무시(무)와 사랑방에 저장해 두었던 생고구마를 수시로 먹었었다.

지금 생각해 보면 이런 자연식을 먹었기에 허약했던 내가 어린 시절을 그나마 잘 지내온 것 같다. 우리집은 동네 아이들의 놀이터였다. 빠끔살이(소꿉놀이), 강강술래, 오징어게임, 해바라기, 핀치기, 자치기, 딱지치기, 제기차기, 팽이치기, 고무줄놀이, 전기놀이, 돌집기, 땅따먹기 등 그 시절에는 모든 놀이와 게임을 섭렵했었다. 그래서인지 지금은 아이들과 놀이 수업을 하며 즐겁게 지내고 있다. 그렇지만 그때의 실력은 나타나지 않는다. 그때 나와 친구들은 공부는 하지 않고 해가 넘어가도록 마음껏 놀았었다.

나는 중학교 다닐 때까지 아침에 일어나 과일나무 아래에서 신선한 과일을 따서 먹었었다. 학교에 다녀오면 과일나무에 달린 과일을 따 먹었고 밤에도 심심하면 전등을 켜고 과일을 따 먹었다. 어릴 때 그렇게 먹었던 과일이라 도시에 나와서도 과일은 꼭 먹어야 했다. 아침밥은 안 먹어도 괜찮은데 과일을 안 먹으면 입에서 과일을 달라고 했다. 그래서 과일이 거의 끊이지 않았다. 그런데 도시에서는 사람들이 보통 식후에 먹는 것이 일반화되어 있었다. 그래서 나도 식후에 먹는 경우가 많아졌다.

그러나 건강독서를 하다 보니 과일은 식전 30분 전에 먹어야 한다. 과일을 식후에 먹으면 과일이 먼저 소화되어 장 속 다른 음식물이 소화되기 전에 부패하게 되므로 과일은 식전에 먹어야 한다. 그래서 이제는 되도록 식후에는 과일을 먹지 않으려고 노력하고 있다. 단백질과 탄수화물을 같이 섭취하면 좋지 않다는 것을 알게 되었고 이제는 밥을 먹을 때는 고기류는 먹지 않으려고 한다. 그리고 고기를 먹을 때는 밥은 거의 먹지 않는다. 아침에는 따뜻한 소금차로 시작하고 있다.

건강독서를 하면 좋은 운동 습관이 형성된다. 운동의 중요성을 알게 되고 가까운 거리도 차를 타고 다녔는데 되도록 걸어가려고 하고 집에 돌아올 때는 18층 계단을 걸어서 집으로 오고 있다. 처음에는 너무 힘들던 18층 계단이 지금은 그렇게 힘들지 않다. 단순하고 작지만, 꾸준히 하면서 내가 건강해지고 있다는 것을 느낀다.

건강독서는 우리의 몸 건강뿐만 아니라 마음 건강에도 많은 영향을 미치고 있다. 책을 읽는 자체가 우리의 정신을 풍요롭게 하고, 새로운 지식과 경험을 제공하며 마음건강에도 좋은 효과를 가져다준다.

건강독서는 스트레스 해소에 큰 도움을 준다. 현대인들은 다양한 스트레스 요인에 노출되어 있는데 업무, 학업, 가족 관계 등 다양한 압박과 스트레스로 인해 우리의 마음 건강이 영향을 받을 수 있다. 하지만 건강독서를 통해 책의 이야기에 몰두함으로써 일상의 스트레스와 잠깐 멀어질 수 있다.

건강독서는 감정적으로 안정감을 주고 위로를 얻을 수 있다. 우리는 감정을 가지고 있어서 때때로 슬픔, 분노, 불안 등 다양한 감정을 겪을 수 있는데 건강독서를 통해 이러한 감정들이 해소되기도 하고 위로를 받기도 한다. 책을 통해 우리는 자신의 감정을 이해하고 받아들이는 데 도움을 받는다.

10. 서서히 변화시키는
매력적인 건강독서

건강독서 모임을 하게 되면 많은 유익이 있는데 혼
자서 책을 읽는 것도 좋지만 건강독서 모임을 하면 사
람들의 체험을 들을 수 있어서 좋다. 현재 고통 가운데
있는 사람의 이야기를 들으며 자신을 돌아볼 수 있는
시간도 되고 건강한 사람들의 자기관리 이야기를 들으
며 좋은 건강관리법도 배우게 된다.

건강독서 모임을 함께 하면 서로에 대해 많은 것을

알고 도울 수 있어서 좋다. 서로 건강관리 하는 법을 나누면서 하나씩 자신의 건강관리를 점검하고 더 좋은 방법으로 관리를 할 수 있게 된다. 건강독서 모임을 하면서 바쁜 일상으로 책을 읽지 못하고 참석하시는 분도 계셨는데 그럼에도 다른 사람들의 나눔과 체험을 들으면서 조금은 늦지만, 변해가고 있는 것을 느낀다.

나는 건강관리에 소홀했었다. 특별히 아픈 곳이 없었기에 건강하다고 생각하고 있었다. 그런데 건강독서를 하고 건강독서 모임을 하다 보니 내가 너무 무지했었다는 것을 느낄 수 있었다. 건강독서를 하면서 나의 건강과 가족의 건강을 챙기게 되었다. 그러므로 나의 건강도 좋아지고 남편의 건강도 더 좋아졌다.

건강독서를 하여 나의 건강, 가족의 건강을 챙기고 이웃의 건강도 챙길 수 있다. 내가 건강해지고 가족이 건강해지고 이웃이 건강해지고 국민이 건강해진다면 얼마나 보람되고 좋은 일일까? 모두가 건강해지는 그날이 오길 기대한다.

11. 효과적인 건강독서

건강독서는 건강에 대한 지식을 알고 실천하는 데 도움이 되는 독서 활동으로 건강독서를 통해 우리는 건강한 삶을 누리고 질병을 예방할 수 있다. 효과적인 건강독서 방법을 소개하면

먼저 주제 선정이 중요하다. 건강에 관련된 다양한 주제가 있지만, 관심 있는 분야를 선택하는 것이 좋다. 운동, 식이요법, 정신건강, 스트레스 관리 등 다양한 주제가 있다. 그리고 신뢰할 수 있는 도서를 찾는 것이

중요하다. 건강도서는 많지만, 그중에서도 신뢰할 수 있는 도서를 선택하는 것이 필요하다.

또한 독서 습관을 형성하는 것이 중요하다. 건강을 위한 독서는 일시적인 활동이 아닌 일상적인 습관으로 만들어야 한다. 매일 조금씩이라도 시간을 내어 독서하도록 노력해야 한다. 아침이나 저녁에 10분만이라도 독서 시간을 가지는 것이 좋다. 이렇게 하면 시간을 효율적으로 활용하면서도 지속해서 건강 독서를 할 수 있다. 독서 내용을 정리하고 복습하는 것도 필요하다. 독서한 내용을 잊어버리지 않도록 정리하는 습관을 지니는 것도 좋은 방법다. 독서 후 요약이나 메모를 작성하고, 필요한 내용을 독서 노트에 정리해 둔다.

그리고 독서를 통해 습득한 지식을 실천하는 것이 무엇보다 중요하다. 건강 독서는 단순히 지식을 얻는 것뿐만 아니라, 그 지식을 실제로 적용하는 것이 중요하며 독서를 통해 배운 내용을 일상생활에 적용하고 실천하는 것이 필요하다. 건강 식단을 위해 독서한 내용을 바탕으로 식단을 조절하거나, 운동 방법을 배워 실제로 실천해 보는 것이 좋다.

효과적인 건강독서를 위해서는 주제 선정, 신뢰할 수 있는 도서 선택, 독서 습관 형성, 독서 내용을 정리하고 복습, 지식을 실천하는 것이 중요하다. 이러한 방법들을 적절히 조합하여 건강독서를 효과적으로 하다 보면. 건강한 삶을 위한 지식을 얻고 습관을 만들 수 있을 것이다.

12. 삶을 변화시킨
건강독서의 힘

건강독서를 시작하기 전에는 건강과 관련된 지식이 부족했고 건강을 유지하기 위한 올바른 방법을 알지 못하였다. 그러나 건강독서 모임을 하면서 건강 관련 독서를 하게 되고 나의 건강을 챙기는 방법을 알게 되었다. 그리고 건강독서를 통해 건강과 관련된 지식을 알아가고 실천한 결과 나의 삶이 많이 유익해졌다.

나는 어릴 적에도 체력이 좋은 것은 아니었지만 제

왕 절개로 아이 셋을 낳다 보니 나의 체력은 바닥이었다. 새벽 438모임을 통해 아침 일찍 일어나고 아침에 일찍 일어나기 위해 일찍 자려고 노력하면서 조금씩이라도 운동을 하려고 하니 생활 습관이 변해갔다.

그러던 중 건강독서 모임을 하게 되었고 독서 모임 리더인 십시일강 김형숙 대표가 알려주는 도서를 차례로 읽고 건강독서문화연구소 백용학 소장의 강의를 듣다 보니 나에게는 새로운 변화들이 생기기 시작했다. 내가 해야 할 것과 하지 않아야 할 것, 내가 먹어야 할 것과 먹지 않아야 할 것을 구분하게 되면서 더욱 건강하게 되었다.

나의 건강해진 모습을 보며 나이 들면서 더욱 건강해질 수가 있느냐며 감탄하는 지인을 보며 나에게도 자신감이 생기고 뿌듯함이 생겼다. 건강독서를 통해 나의 체중은 줄어들고 체력은 향상되었으며 이를 통해 건강하고 즐겁게 살아가고 있다.

그래서 경험을 통해 다른 사람들에게 건강독서의 중요성을 알리고 건강하고 행복한 삶을 살아가는 데 도움이 되기를 바라는 마음 간절하다. 우리 삶에 있어 건강은 가장 중요한 자산이다. 건강을 잃으면 모든 것을 잃은 것과 같기 때문이다.

건강독서를 하면서 건강하고 행복한 삶을 누리고 다른 사람들에게도 건강의 중요성을 전하고 싶다. 건강독서를 시작하게 된 것은 내 인생에서 많은 전환점을 주었으며 건강독서를 하면서 나의 생활이 완전히 바뀌었다. 건강독서는 건강한 삶을 살기 위한 가장 좋은 방법임을 전하고 싶다. 건강하기를 바라는 사람들에게 건강독서를 꼭 추천하고 싶다. 모든 사람이 건강독서를 통해 건강한 삶을 살기를 바라는 마음 간절하다.

13. 건강독서로 건강지키세요

건강은 누구나 소중히 여기고 있다. 그런데 현대인들은 바쁜 일상과 스트레스로 인해 자신의 건강을 소홀히 하는 경우가 많다. 나 또한 소홀히 하는 사람 중의 한 사람이었다. 그렇지만 이제는 건강을 유지하고 강화하기 위해 건강독서가 꼭 필요하다는 것을 알고 있다.

건강독서를 통해 건강과 관련된 다양한 주제에 대해 책을 읽고 지식을 쌓아가며 자신의 건강에 대한 인식을 높이고 건강을 지키기 위한 방법과 전문가의 조언을 얻을 수 있다.

건강독서는 많은 사람들에게 긍정적인 영향을 주고, 삶의 변화를 불러온다. 건강독서를 통해 올바른 식단과 운동 방법을 배운 사람들이 체중을 감량하고 건강을 개선할 수 있다.

스트레스 관리와 정신 건강은 현대 사회에서 많은 사람들이 고민하는 문제로 건강 도서를 읽으면서 스트레스 관리 방법을 배워 스트레스를 효과적으로 관리하고, 정신적인 안정과 평화를 찾을 수 있다.

우리는 건강독서를 통해 질병 예방과 면역력 강화에 대한 정보를 얻고 건강한 삶을 유지하는 데 도움을 받는다. 건강 관련 도서에서 건강한 식단과 생활 습관을 배우고 실천하여 감기와 같은 질병을 예방하고 면역력을 강화하며. 건강독서를 통해 올바른 지식을 얻고 적용함으로써 질병을 예방하고 건강을 유지할 수 있다.

건강독서를 통해 자기관리와 자기 성장을 할 수 있다. 건강 도서를 통해 자기관리와 자기 성장에 대한 지식을 얻고 자신을 돌보고 발전시킬 수 있다. 건강 도서에서 스트레스 관리, 명상, 운동, 영양 등 다양한 측면에서 자기관리를 실천하며 자기 성장을 이루어 간다.

건강은 우리가 살아가는 데 가장 중요한 자산이며 돈이나 명예보다 더욱 소중하다. 건강한 삶을 살기 위해서는 건강독서와 함께 지속적인 노력이 필요하다. 많은 사람이 건강독서에 관심을 두고 건강과 행복을 위해 가장 좋은 선택을 하길 바라는 마음 간절하다.

작가의 말

건강독서로 새로운 지식을 알고 내가 변했기에 이 책을 읽는 사람들이 자신의 건강을 살피고 새롭게 시작하는 시간이 되기를 바라면서 건강독서를 추천한다. 내 몸이 아프지 않고 잘 사는 법, 암은 병이 아니다. 호흡의 기술, 약 먹으면 안 된다. 더러운 장이 병을 만든다. 환자 혁명, 짠맛의 힘, 장누수가 병을 만든다, 등,

건강도서는 엄청나게 많다. 어떤 도서를 선택해서 읽

느냐에 따라 독서의 질도 달라진다. 좋은 도서를 선택하여 읽는 것이 가장 우선이고 도서를 선택하였으면 하루에 10분이라도 꼭 읽어서 변화되는 삶을 살기를 바라는 마음 간절하다.

구전으로 전해 듣는 것과 직접 독서하며 알게 되는 것은 천지 차이다. 구전으로 듣게 되면 듣고 쉽게 흘려보내지만, 글을 읽고 뇌에 인식이 되면 더 깊게 다가온다. 그럴 때 건강에 대한 지식이 쌓이고 건강하지 못한 사람들을 만나게 되면 안타깝고 돕고 싶어진다.

건강독서를 하면서 지식을 쌓고 실천하면서 좋은 습관을 형성하고 서로를 격려하고 돕고 챙기며 건강한 삶을 유지하고 풍요로운 삶을 살아가기를 권한다.